Inhalt

Wasserversorgung - Technologien der Wasserindustrie weltweit gefragt

Wasserversorgung - Technologien der Wasserindustrie weltweit gefragt

Anja Schneider

Kernthesen

- In Deutschland haben rund 6 200 Wasserversorger den Markt regional weitgehend frei in der Hand.
- Die größten Wasserverbraucher sind Landwirtschaft, Energiewirtschaft und Industrie.
- Weltweit beschleunigen Bevölkerungswachstum und Urbanisierung den Wasserbedarf enorm.
- Prognosen gehen davon aus, dass das Marktvolumen für Trink- und

Abwasseraufbereitung bis 2015 jährlich um mindestens fünf Prozent steigt, eine gute Chance für Anbieter effizienter Technologien und auch für Investoren.

Beitrag

Regionale Trinkwassermonopole

In Deutschland teilen sich rund 6 200 Wasserversorger den Markt. Über die Hälfte der Wasserversorger sind öffentlich-rechtlich organisiert, an einem weiteren Drittel sind Städte und Gemeinden zumindest beteiligt. Die Preise gehen allerdings auch bei ähnlichen Versorgungsbedingungen oft weit auseinandergehen. So weisen Zahlen des Statistischen Bundesamtes zwischen den Durchschnittspreisen einzelner Bundesländer erhebliche Unterschiede auf. Am teuersten ist das Wasser in Ostdeutschland. Gibt man in Sachsen-Anhalt an die 600 Euro jährlich für Trink- und Abwasser aus, sind es in Bayern im Schnitt nur gut die Hälfte. Doch während man beispielsweise bei Energieversorgern durchaus die Wahl zwischen unterschiedlichen Anbietern hat, haben die Wasserversorger in Deutschland lokal Monopolstatus und können daher die Preise nahezu beliebig festsetzen. Das legt teilweise den Verdacht nahe, dass sich mit “dem besonderen Gut Wasser” besonders gut Gewinn machen lässt. So konnten beispielsweise der Energieversorger RWE und der französische Konzern Veolia im letzten Jahr durch ihre Beteiligung an den Berliner Wasserbetrieben gemeinsam rund 120 Millionen Euro Gewinn verbuchen, das Land Berlin108 Millionen Euro. Zwar fanden die Wettbewerbshüter des Bundeskartellamtes inzwischen sowohl bei den Berliner Wasserbetrieben (BWB) als auch bei anderen Städten und Versorgungsgebieten den Verdacht bestätigt, dass diese ihre Alleinherrschaft über die Wasserversorgung missbrauchten, um überhöhte Preise abzufordern, doch ist umstritten, ob das Kartellamt bei Öffentlichen Versorgern überhaupt das Sagen hat. Bisher war hier nämlich lediglich die Kommunalaufsicht zuständig. Das hatte zur Folge, dass in der Regel nur geprüft wurde, ob die Gebühren ausreichen, die Kosten zuzüglich einer als “angemessen” eingeschätzten Eigenkapitalverzinsung zu decken. Im Zweifel zahlt weiterhin der Verbraucher die Zeche. (20)

Wer Wasser spart, machts künftig teurer

Wer Wasser spart, machts künftig teurer - diese

Beobachtung kürte der hotelier zum Aufreger des Monats August. Der deutsche Verbraucher spart Wasser, derzeit verbraucht er durchschnittlich 122 Liter Wasser am Tag und sein Verbrauch ist rückgängig. Das finden die Wasserversorger allerdings gar nicht erquicklich, denn um Ablagerungen oder Bakterien im Wassernetz zu verhindern, müssen sie die Leitungen immer öfter selbst mit Frischwasser spülen - auf ihre eigenen Kosten. Den Ausweg aus der Misere wittern sie darin, den Verbrauchern einen höheren monatlichen fixen Grundbetrag und dafür niedrigere verbrauchsabhängige Kosten in Rechnung zu stellen. (1), (2)

Wasserverbrauch um das Sechsfache gestiegen

Dabei ist der private Haushalt bei weitem nicht der größte Wasserverbraucher, sondern das sind die Landwirtschaft (weltweit 70 Prozent) und der Energiesektor. Mit der industriellen Entwicklung eines Landes steigt zudem der Wasserverbrauch der Industrie. Sie braucht Wasser als Kühl-, Löse- und Reinigungsmittel. Das globale Bevölkerungswachstum, die fortschreitende Industrialisierung, die Urbanisierung und der zunehmende Wohlstand treiben die Nachfrage nach

Süßwasser in die Höhe. Im zwanzigsten Jahrhundert ist die Bevölkerung um etwa das Dreifache, der Wasserverbrauch aber um das Sechsfache gestiegen. Die Vereinten Nationen rechnen bis 2050 mit einer Weltbevölkerung von 9,3 Milliarden Menschen - aktuell sind es rund 7,2 Milliarden. Auch wenn nur knapp drei Prozent des gesamten Wassers auf der Erdoberfläche Süßwasser ist, wäre prinzipiell auf der ganzen Welt genügend Wasser für alle da. Doch mit der Verteilung des kostbaren Guts hapert es gewaltig. In den EU-27 Ländern sind fast zwei Millionen Menschen ohne Zugang zu freiem Trinkwasser und sanitärer Grundversorgung, weltweit leiden zwei Milliarden Menschen unter Trinkwassernot und mangelhafter Abwasserentsorgung. (3), (4), (5)

Wasserindustrie mit großen Absatzchancen

Für die Wasserindustrie gibt es also auf der Welt noch enormes Potenzial. Wasserinfrastrukturen müssen neu gebaut oder modernisiert werden. Wasser muss dorthin transportiert werden, wo es gebraucht wird. Es besteht Bedarf an Technologien, die eine effiziente Wassernutzung ermöglichen und die Verschwendung reduzieren helfen. Abwasser muss gereinigt werden und die Landwirtschaft braucht ressourcenschonende

Bewässerungsmethoden. In der Industrie muss der Wasserverbrauch sparsamer und der gesamte Prozess nachhaltiger werden (geschlossener Wasserkreislauf). Trinkwasser muss in Meerwasserentsalzungsanlagen aufbereitet werden und vieles mehr. Fürs weltweite Wassergeschäft wird daher eine stetig wachsende Nachfrage erwartet. Vorsichtige Prognosen gehen davon aus, dass das Marktvolumen für Trink- und Abwasseraufbereitung bis 2015 jährlich um mindestens fünf Prozent steigt. (6). (7)

Europaweite Kampagnen zur Optimierung der Wasserversorgung

Brüssel mahnt die europäischen Länder zu mehr Achtsamkeit beim Wasser. Der Zugang zu Wasser müsse ein Grundrecht sein, vor allem Landwirtschaft und Energiewirtschaft sollen ihren Verbrauch senken und Wasser effizienter verbrauchen. Heute gingen etwa 20 Prozent des EU-weit verbrauchten Wasser verloren. Im Juni startete die Vereinte Dienstleistungsgesellschaft ver.di mit der Kampagne Wasser die erste europäische Bürgerbewegung, um die EU zur Umsetzung ihrer Pläne zu bewegen. Die Chemiewirtschaft hat mit E4Water seit Mai 2012 ein europäisches Projekt gestartet, das die Optimierung des Wasserverbrauchs in der chemischen Industrie in Europa zum Ziel hat. (10), (11), (12)

Derzeit läuft zudem eine Diskussion zur Privatisierung von Wasserversorgung und Abwasserentsorgung. Ein von der Europäischen Kommission verabschiedeter Richtlinienentwurf sieht vor, dass künftig sogenannte Dienstleistungskonzessionen zwingend europaweit ausgeschrieben werden müssen. (13)

Trends

Strategisches Investment Wasser

Aktienpakete von Firmen, die sich auf das Thema "Bekämpfung der Wasserknappheit" spezialisiert haben (sogenannte "Wasser-Baskets") sorgen schon jetzt für dicke Gewinne. Angesichts der steigenden Weltbevölkerung und des wachsenden Wohlstands in den Schwellenländern wird auch der Investitionsbedarf in Einrichtungen der Wasserversorgung und Abwasserentsorgung stark anwachsen. Auch Klimaerwärmung und zunehmende Wasserverschmutzung sorgen für zusätzlichen Bedarf. Das Investmentpotential von Wasser erscheint vor diesem Hintergrund gigantisch. (19),

(21)

Fallbeispiele

In Bayern wird kräftig investiert

Die Energie- und Wasserversorgungsunternehmen in Bayern haben in den letzten Jahren im Durchschnitt rund 900 Millionen Euro in Bayern in eine zuverlässige Energieversorgung und rund 150 Millionen Euro in die Wasserversorgung investiert. (14)

Berlin will Wasserbetriebe rekommunalisieren

Berlin will RWE-Veolia seinen Geschäftsanteil an den Berliner Wasserbetrieben zurückkaufen. Entsprechende Verhandlungen zur Rekommunalisierung laufen seit zwei Jahren. Die Berliner und das Bundeskartellamt fordern von den Wasserbetrieben niedrigere Wasserpreise. Im Vergleich zum Preisdurchschnitt von Hamburg, München und Köln, wo letztlich die Verhältnisse bei der Wasserversorgung jenen in Berlin ähneln, liegen die Preise in Berlin um mehr als 30 Prozent höher. (16), (20)

Veolia Environnement auf Sparkurs

Der französische Versorger Veolia Environnement ist einer der weltweit größten Anbieter im Geschäft mit Wasser und Abwasser (Umsatz rund 35 Milliarden Euro). Aufgrund deutlich verschlechterter Gewinnlage hat sich das Unternehmen jetzt allerdings eine drastische Sparkur verordnet. Bis Ende 2013 will sich Veolia aus der Hälfte der siebzig Länder zurückziehen, in denen das Unternehmen aktiv ist. So wird jetzt das britische Wassergeschäft verkauft. In Deutschland ist Veolia - wie auch RWE - an den Berliner Wasserbetrieben beteiligt. (15)

Mangelhafte Wasserversorgung weltweit ein Thema

Sorgen ums Wasser machen sich mittlerweile sowohl die Industrienationen als auch die Schwellenländer. Mangelndes Wasser wirkt sich auf die Landwirtschaft und damit auf die zur Verfügung stehenden Nahrungsmittel verheerend aus. Dies erleben gerade die USA, die mit der schlimmsten Dürre seit Jahren zu kämpfen haben. In London wurde im Frühjahr das Wasser knapp. Schwacher Monsun macht den Bauern in Indien das Leben schwer, der Ausbau der Wasserversorgung des Landes hinkt den Plänen weit hinterher. (8)

In China spitzt sich die Situation um die Wasserversorgung immer mehr zu. Dort leben 21 Prozent der Weltbevölkerung, doch das Riesenreich verfügt nur über sieben Prozent der erneuerbaren Wasservorräte. Zwei Drittel aller Städte leiden schon unter Wassermangel, ein Viertel der Chinesen hat keinen Zugang zu sauberem Wasser. Prompt hat die chinesische Regierung gigantische Wasserprojekte angestoßen, nach dem größten Wasserkraftwerk der Welt soll längs und quer durchs Land das größte Kanalsystem der Welt entstehen. (9)

Aktuell müssen auch Chile und die Philippinen in ihre Wasserinfrastrukturen investieren. (17), (18)

Zahlen & Fakten

Auf der Erde gibt es etwa 1,4 Milliarden Kubikkilometer Wasser. Davon sind zwar rund 2,5 Prozent trinkbar, aber teilweise sind die Süßwasservorräte sehr schwer zugänglich. Nur etwa

30 Prozent stehen als Grundwasser zur Verfügung, 69 Prozent sind beispielsweise in Gletschern oder im ewigen Eis fest gebunden. Seen und Flüsse machen nur etwa 0,3 Prozent aus, 0,7 Prozent stehen zur Bildung von Bodenfeuchtigkeit, Grundeis, Dauerfrost und Sumpfwasser zur Verfügung. (21)

Wasserverbrauch:

Experten schätzen, dass der weltweite Wasserverbrauch in den nächsten 15 Jahren um vierzig Prozent steigen wird.

Pro US-Dollar Warenwert stecken nach Angaben der Vereinigung Deutscher Gewässerschutz e. V. in Industrieprodukten aus den USA hundert Liter, aus Westeuropa etwa 50 Liter und aus dem asiatischen Raum etwa 20 Liter tatsächlich verbrauchtes Wasser zur Produktion.

Wasserverluste:

Der durchschnittliche Wasserverlust in Entwicklungsländern liegt bei 43 Prozent, in Europa zwischen 15 und 30 Prozent, in Deutschland bei acht Prozent.

In London versickern bis zu 900 Millionen Liter Trinkwasser pro Tag. (6)

Weiterführende Literatur

(1) Wer Wasser spart, macht's künftig teurer
aus der hotelier - das ideenmagazin in der AHGZ 35 vom 25.08.2012 Seite 002

(2) Deutsche sparen Wasser - und machen es damit teurer
aus Stuttgarter Nachrichten, 15.08.2012, S. 1

(3) Kühles Nass in „klares Gold“ verwandeln Wasserinvestments entlang der Wertschöpfungskette
aus GoingPublic Magazin, Heft Cleantech 2012/2012, S. 38-39

(4) Stadtwerke-Chef: Wasser ist ein Menschenrecht
aus Darmstädter Echo, 27.07.2012

(5) 200 Liter Wasser für eine schlichte Jeanshose
aus Rheinische Post Nr. 200 vom 28.08.2012

(6) ACHEMA 2012-Trendbericht Industrielle Wassertechnik Den Water & Carbon Footprint fest im Blick
aus www.process.de vom 13.04.2012

(7) Glänzende Perspektiven in der Umwelttechnik Windenergie, Elektroautos, Wasseraufbereitung - in grünen Fachgebieten versierte Ingenieure werden händeringend gesucht
aus Financial Times Deutschland vom 16.09.2011, Seite 4SB04

(8) Indien taumelt am Rande einer Krise
aus WirtschaftsWoche online vom 2012-09-04

(9) Auf dem Trockenen China. Dem Reich der Mitte geht der wichtigste Rohstoff aus: sauberes Wasser. Ein gigantisches Kanalsystem, das in der Mao-Zeit erdacht wurde, soll die Katastrophe abwenden. Doch das Projekt schafft neue Probleme
aus Capital vom 19.07.2012, Seite 48-51

(10) Europaparlament mahnt zum Wasserschutz
aus Agra-Europe (AgE), 53. Jahrgang Nr. 28 vom 09.07.2012

(11) ver.di startet erste europäische Bürgerinitiative: Wasser ist ein Menschenrecht
aus ddp direct Pressemitteilung vom 18.06.2012, 16:40:05

(12) EU-Projekt mit starker Industriebeteiligung
aus Entsorga Magazin 7-8 vom 06.08.2012 Seite 053

(13) Appell gegen Privatisierung
aus SZ Regionalausgabe, 17.04.2012, Ausgabe München West

(14) Jeder Bayer braucht 133 Liter Trinkwasser am Tag
aus Bayerische Staatszeitung, 10.08.2012, S. 17

(15) Veolia verkauft britisches Wassergeschäft
aus Handelsblatt online vom 28.06.2012

(16) RWE trennt sich vom Wassergeschäft in Berlin
aus www.powernews.org Meldung vom 18.07.2012 - 10:51

(17) Chile muss kräftig in Wasserwirtschaft investieren
aus de.init.bfai.fachdb.model.Mkt

(18) Philippinen investieren Milliarden in Wasserwirtschaft
aus de.init.bfai.fachdb.model.Mkt

(19) Investmenttrend Wasser
aus "TOP-Gewinn" Nr. 09a/2012 vom 18.09.2012 Seite: 14

(20) Flucht ins Trockene
aus FAZ.NET, 10.06.2012

(21) Kostbares Trinkwasser
aus Welt kompakt Nr. 146 vom 30.07.2012 Seite 2

Impressum

Wasserversorgung - Technologien der Wasserindustrie weltweit gefragt

Bibliografische Information der deutschen Nationalbibliothek

Die Deutsche Nationalbibliothek verzeichnet diese Publikation in der deutschen Nationalbibliografie; detaillierte bibliografische Daten sind im Internet über http://dnb.d-nb.de abrufbar.

ISBN: 978-3-7379-2386-6

Inhalt

Unified Messaging - Wird der Traum von einem Gerät für alle Kommunikationskanäle endlich Wirklichkeit?

Unified Messaging - Wird der Traum von einem Gerät für alle Kommunikationskanäle endlich Wirklichkeit?

Autor GENIOS BranchenWissen: M.Westphal

Kernthesen

- Integrierte Kommunikationslösungen, also der mobile Zugriff von einem Endgerät auf alle Applikationen und Informationen, ist das aktuelle Thema der ITK-Branche.
- Microsoft betätigt sich als Treiber für Software-Lösungen, die eine Integration sämtlicher Kommunikationsmedien ermöglichen.
- Instant Messaging, Voice over IP, mobile E-

Mail: die Unternehmen verlangen von der ITK-Industrie Lösungen zu einer zufrieden stellenden Integration dieser Technologien und Applikationen.

Beitrag

Die Zukunft gehört integrierten Kommunikationslösungen, bei denen Mitarbeiter von jedem mobilen Endgerät auf sämtliche Anwendungen zugreifen können. Auch die Daten können bearbeitet werden, die sich auf dem jeweiligen stationären Arbeitsplatz befinden, dem schwungvollen Handel mit der Mobilität steht nur noch die Einigung über Schnittstellenstandards innerhalb der Industrie entgegen.

Microsoft als Treiber für die Konvergenz der Kommunikationskanäle

Microsoft plant, die bisher auf dem Schreibtisch noch getrennt stehenden Geräte Telefon und Computer miteinander zu fusionieren. Um diesen ehrgeizigen Plan zu verwirklichen, hat Microsoft bekannte Partner ins Boot geholt.

Nachdem das in den 80er Jahren von Bill Gates ausgegebene Ziel, dass jeder Computer auf dem Schreibtisch mit einem Microsoft-Bertriebssystem ausgestattet sein soll, nahezu verwirklicht ist, möchte Gates nun die Bürotelefone erobern. Das Unified-Communication genannte Projekt (welches z. B. den Office Communication Server 2007 und den dazu passenden Desktop Client Office Communicator 2007 umfasst) soll bis Mitte 2007 Hard- und Software auf den Markt bringen, die es Microsoft-Office-Nutzern erlaubt, alle gängigen Kommunikationssysteme mit der Office-Software zu nutzen. Handys, Festnetztelefon, Instant Messaging, Web-Konferenzen und auch Internet-Telefonie können dann über eine Plattform bedient werden. Zur Verwirklichung dieses Projekts hat sich Microsoft die Partner Siemens, Samsung, Motorola, Logitech und Hewlett-Packard ins Boot geholt. Damit tritt Microsoft in direkte Konkurrenz zu Netzwerk-Konzernen wie Cisco, Avaya, Nortel oder Lucent-Alcatel, die aus ihrem angestammten Netzwerkgeschäft in Richtung zu VoIP-Telefonie und Business-Kommunikation drängen. (3), (7), (8)
Auch das IBM-Kommunikationssystem Lotus Sametime soll mit den Microsoft-Plattformen arbeiten. (7)
Microsoft sieht die "Kommunikation am Arbeitsplatz ähnlich wie das Server-Geschäft zu Beginn der 90er Jahre. So werden von einer ganzen Reihe von

Anbietern dem Anwender das Gleiche angeboten, nämlich die Konvergenz von Telefon, E-Mail und anderer digitaler Kommunikation. Aber alle diese Produkte sind Insellösungen, die nicht mit den anderen Produkten kommunizieren können.
Microsoft möchte nun für diesen Markt wiederum die Schlüsselsoftware bauen, um damit den Rest der Branche zu überzeugen, auf den Microsoft-Produkten aufzusetzen. (8)
Der Office Communicator 2007 erhält ein VoIP-Softphone mit Statusanzeige und eine aus hauseigenen Labors entstandene 360Grad-Kamera (Office Roundtable) für Videokonferenzen. (8)
Microsoft hat mit dem Launch seines Windows Live Messengers 8.0 das Live-Zeitalter gestartet. In dieses Paket sind neben kostenpflichtigen Online-Angeboten auch Dienste wie Internet-Telefonie zu Handys und auch ins Festnetz möglich. Allerdings werden diese Telefonate, die nicht direkt auf dem Computer des Angerufenen auflaufen über den Microsoft-Partner Verizon geleitet und kosten z. B. in Österreich zwei Cent ins Festnetz und 27 Cent zu Handys.
Der erste Hardware-Partner hierfür ist Philips mit seinem DECT-Schnurlostelefon VOIP 433 (Preis ca. 100 Euro), welches dem Windows Live-Messenger als VoIP-Telefon dient. (4)

Der Windows Live Messenger von Microsoft steht

inzwischen schon in einer offenen Beta-Version zum Test bereit. Die Version 8.0 ist auch in deutscher Sprache erhältlich und ermöglicht die Kommunikation via Text, Sprache und Video. Bereits jetzt sind über den Partner Verizon Communication kostenpflichtige Telefonate aus den USA, England, Deutschland, Frankreich, Spanien, Österreich, Belgien, Finnland, Italien, Irland und den Niederlanden möglich.
Anrufe von PC zu PC sind kostenlos. (13)

Microsoft bietet jetzt auch Instant Messaging und CRM-Applikationen für mobile Endgeräte an

Die Instant Messaging-Software Microsoft Office Communicator Mobile sowie die mobile Kundenmanagement Lösung Microsoft Dynamics CRM 3.0 Mobile gibt es kostenlos zum Download von Microsoft. Diese Applikationen sind mit allen Smartphones und PDAs auf Basis von Windows Mobile 2003 und Windows Mobile 5.0 nutzbar. Der Office Communicator ist dabei ein integrierter Kommunikationsclient, der auf den Microsoft Office Live Communication Server 2005 zugreift. Ermöglicht

wird durch diese Software ein Realtime-Zugriff von Unternehmensmitarbeitern von unterwegs. So kann auch auf die auf dem PC gespeicherten Terminpläne zugegriffen werden. Die CRM-Applikation ermöglicht eine mobile Echtzeit-Steuerung von Kampagnen wie auch den Zugang zu E-Mails und Kalendern. (12)

Instant Messaging als ideale Kommunikationsform für "Virtuelle Unternehmen"

Noch ist vielen Unternehmen nicht klar, ob Instant Messaging ihnen von Nutzen sein kann. Diese Kommunikationsform hat im privaten Umfeld inzwischen ja schon den Stellenwert von SMS erlangt. OpenBC, MySpace und andere Social-Computing-Plattformen haben Instant Messaging inzwischen als zentralen Bestandteil ihrer Kommunikation etabliert. Nicht bestätigen lassen sich Bedenken von Betriebsräten, dass Mitarbeiter durch Tools wie Instant Messaging unzulässig kontrolliert werden können. (1)

Die Online-Statusanzeige, die ein wesentlicher Bestandteil des Instant Messaging ist, signalisiert, ob ein Mitarbeiter bereit oder verfügbar ist, mit anderen zu kommunizieren. Diese Funktion lässt

Abstimmungs- und Entscheidungsprozesse erheblich beschleunigen. Denn derartige Statusinformationen gibt es weder beim Medium Telefon noch E-Mail. So ist es sogar möglich, die Statusanzeige persönlich zu konfigurieren wie "Bitte nicht stören", "Bin im Meeting" oder eben "Bin erreichbar". Dann kann adhoc entschieden werden, wer in einen Entscheidungsprozess einbezogen werden kann und soll, unabhängig von seinem Aufenthaltsort. (1)
So kann die Online-Statusanzeige ein wesentlicher Grundbaustein für Arbeitsmodelle wie flexible Arbeitsplätze oder Home Office sein. Die Verfügbarkeit ist nicht mehr abhängig von der physischen Präsenz, sondern nur noch von der Online-Erreichbarkeit. Produktivität und Kostenpositionen können so insbesondere in Funktionen wie Vertrieb und Service verbessert werden, z. B. auch über eingesparte Büromiete. (1)

Auch das Handy beherrscht jetzt Internet-Telefonie

Zumindest einen Nutzen hat der Tsunami Weihnachten 2004 in Südostasien gehabt. Durch die Katastrophe war unter anderem auch das Telefon-Festnetz zerstört worden, so dass alle Menschen mit ihrem Handy telefonieren mussten, um mit der

Außenwelt zu kommunizieren. Da kam Hjalmar Windbladh die Idee, ein "Skype für den Mobilfunk einzurichten, um die Handykosten, insbesondere wenn vom/ins Ausland telefoniert wird, zu senken. Die nun gegründete Firma Rebtel bietet das Telefonieren via Handy über das Internet an und das zu unschlagbar günstigen Preisen. Ende Juni 2006 startete Rebtel seinen Dienst in 36 Ländern, mit dem Handynutzer schon ab einem US-Dollar pro Woche unbeschränkt ins Ausland telefonieren können. Es wird in dem Land, in dem man sich gerade befindet eine Rebtel-Festnetznummer gewählt und über den Anschluss dann eine Verbindung ins Ausland hergestellt. Sofern der Mobilfunkkunde über keinen Flatrate-Tarif mit seinem Provider verfügt, kommen zusätzlich noch die nationalen Mobilfunkkosten hinzu.

Wesentlicher Baustein in den Planungen von Rebtel ist die Annahme, dass immer mehr Kunden zu Flatrate-Tarifen greifen werden. So will man dann sein Netz bis Ende 2006 auch auf etwa 60 Länder ausgeweitet haben.

Auch Skype bietet bereits Voice over IP-Dienste für Handynutzer an, allerdings ist dieses Angebot noch recht teuer und an das Betriebssystem Windows Mobile, welches sich auf dem Handy befinden muss, geknüpft.

Windbladh erwartet, dass er schon mit etwa 100 000 Kunden kostendeckend arbeiten kann und er sieht in

den 25 Milliarden Minuten Auslandsgesprächen, die mit dem Handy monatlich zu extrem teuren Roaming-Gebühren vertelefoniert werden, seinen potenziellen Markt. (2)

Voice over IP kann jetzt auch für Telefonate ins Festnetz genutzt werden

Skype bietet bisher als einziger Anbieter kostenlose Telefonate in das Festnetz an. Dieses Angebot ist aber bisher auf die USA und Kanada beschränkt, da Skype hierbei draufzahlt. Ziel ist es, in den USA, in denen Skype bisher recht klein ist, Marktanteile zu gewinnen. So soll außerdem auf die enorm aufkommende Konkurrenz durch Microsoft, AOL und Yahoo geantwortet werden, alles Anbieter, die VoIP-Telefonate in das Festnetz bereits anbieten und das zu Konditionen die günstiger sind, als die bisher von Skype angebotenen Tarife. (10)
Mit der neuen Skype-Software können jetzt auch SMS versandt werden und Kontaktinformationen aus Microsoft Outlook eingelesen werden. Aber vorher muss ein Telefonie-Guthaben gekauft werden. Für Unternehmen ist diese SMS-Dienst allerdings nicht zu empfehlen, da die Datenströme nicht kontrolliert

werden können. (11)

Fallbeispiele

Bei **IBM** haben alle Mitarbeiter Zugang zu Instant Messaging Systemen und von jedem Mitarbeiter werden täglich zwischen zehn und 15 solcher Nachrichten versandt. Es trat keine Nachrichtenüberflutung der Mitarbeiter ein, denn die Nutzung des Telefons und vor allem des teuren Mobiltelefons nahm ab (was auch für die Kostenseite positive Effekte hat). Außerdem ersetzt Instant Messaging teilweise auch das Medium E-Mail, welches nun nur noch für die Versendung von ausformulierten Texten und über größere Verteiler genutzt wird. Die Tatsache, dass bei IBM in Deutschland 50 Prozent der Mitarbeiter an flexiblen Arbeitsplätzen sitzen, erklärt den Grund, dass Instant Messaging zur wichtigsten Anwendung geworden ist. In Spitzenzeiten sind bei IBM 170 000 Mitarbeiter gleichzeitig angemeldet. (1)

Die Computerzeitschrift PC Professionell hat in ihrem Heft 6/2006 **Skype** in der aktuellen Version 2.0 zum Testsieger gekürt, wobei Skype in allen Punkten einen

deutlichen Vorsprung vor den anderen acht Mitbewerbern inne hat. Es überzeugen Sprachqualität, Sicherheitsfeatures sowie Telefon- und Extrafunktionen. Der Nachteil von Skype ist das proprietäre P2P-Protokoll. Somit funktioniert Skype nicht mit anderen VoIP-Anbietern. Dieses Problem besteht nicht beim zweitplazierten Programm SIPPS 2.1. (6)

Der Internet-Telefonie-Anbieter **JahJah** hat in einer Studie herausgefunden, dass von 100 Internet-Usern 97 googlen können. Aber nur drei können mit Internet-Telefonie (VoIP) umgehen - sie ist einfach noch zu kompliziert. Das Ziel von JahJah ist es, keinen Software-Download und keine zusätzliche Hardware wie einen Kopfhörer installieren zu müssen. Die fast eine Million Euro, die bisher in das Projekt geflossen sind, haben jetzt Internettelefonie über das Festnetz und über das Handy ermöglicht. Man will noch in diesem Jahr Skype überholen. Und Skype hat bisher erst eine Million Nutzer, die auch wirklich für die Telefonate bezahlen. (9)

Zahlen & Fakten

Mobile E-Mail dürfte der Anwärter auf das zukünftige Siegertreppchen der beliebtesten Applikation sein. So nutzen laut Gartner bereits 20

Millionen Nutzer mobile Dienste für E-Mail über Devices wie den Blackberry. Gartner erwartet eine Verfünffachung dieses Bedarfs auf 100 Millionen Nutzer innerhalb der kommenden vier Jahre. Ihrer Ansicht nach steht mobile E-Mail auf der Schwelle zu einer Mainstream-Anwendung. Ebenso erwartet Gartner, dass Microsoft im Bereich mobile E-Mail Blackberry im Jahre 2008 als Marktführer überholt haben wird.

Die Initiative D21 erwartet, dass der Anteil der mobilen E-Mail sich von heute 6,8 Prozent auf rund 81 Prozent im Jahre 2020 gesteigert haben wird. Damit wird dann auch der Bedarf an entsprechenden Applikationen wachsen. (5)

Der Halbleitermarkt für die VoIP-Industrie boomt, weshalb die Zuwachsprognosen für den VoIP-Markt sich mit den besten Hype-Zeiten messen lassen können.

Gemäß den Schätzungen von IDC wächst der relevante Halbleitermarkt um jährlich 40 Prozent, um dann im Jahre 2008 ein Volumen von 1,7 Milliarden US-Dollar zu erreichen. (14)

Die Unternehmen sind gezwungen, sich dem

allgemeinen Trend hin zu VoIP anzupassen. Der Handlungsdruck wird auch aus Übersee getrieben. So waren Ende des vergangenen Jahres in den USA drei Millionen VoIP-Anschlüsse registriert. Im Jahre 2009 rechnet man mit etwa 27 Millionen Anschlüssen. (14)

Weiterführende Literatur

(1) Instant Messaging knackt Hierarchien
aus Computerwoche, 07.07.2006, Nr. 27 Seite 28

(2) Spottbillige Gespräche ins Ausland Das Startup Rebtel nimmt sich die Mobilfunkbetreiber zur Brust: Der Telefon-Rebell bietet, ähnlich wie Skype, günstige Gespräche an - allerdings per Handy
aus Financial Times Deutschland vom 29.06.2006, Seite 4

(3) Siemens und Samsung helfen Microsoft hat es auf die Bürotelefone abgesehen
aus HANDELSBLATT online 27.06.2006 10:15:17

(4) Windows live
aus "profil" Nr. 26/06 vom 26.06.2006 Seite: 117

(5) VIP-FORUM Distributoren
KOMPLETTLÖSUNGEN AUS EINER HAND SIND GEFRAGT Mobility gewinnt an Fahrt
aus IT Business, Heft 25/2006, S. 4

(6) Internet-Telefonie: Skype Testsieger Texte schreiben im Browser Computer-Notdienst hilft Senioren RATGEBER KOMPAKT
aus LVZ/Leipziger-Volkszeitung, 13.06.2006, S. 8

(7) Microsoft will Lösungen für Unified Communication mit Hardware-Anbietern entwickeln
aus tecChannel.de Online, Meldung vom 26.06.2006

(8) Microsoft entdeckt Kommunikationsmarkt
aus Computerwoche, 30.06.2006, Nr. 26 Seite 7

(9) Auf den Spuren von Google Erfolg: Zwei Jungunternehmer haben mit Internet-Telefonie den Sprung von Wien ins Silicon Valley geschafft
aus WirtschaftsBlatt, 30.05.2006, Nr. 2625, S. 7

(10) Skype bietet kostenlose Festnetz-Telefonate
aus netzeitung.de vom 16.05.2006

(11) Skype kann auch SMS
aus Sonntagszeitung vom 07.05.2006 Seite 121

(12) Microsoft: Zwei neue Gratis-Tools für Mobile Geräte
aus tecChannel.de Online, Meldung vom 08.05.2006

(13) Öffentliche Beta von Windows Live Messenger 8.0 gestartet
aus PC-Welt, Meldung vom 09.05.2006

(14) Aufbruch ins konvergente Zeitalter
aus Computerwoche, 12.05.2006, Nr. 19 Seite 30-31

(15) INTERNETTELEFONIE - Gebremste Euphorie
aus ProFirma, Vol. 9, Heft 05/2006, S. 50-52

Impressum

Unified Messaging - Wird der Traum von einem Gerät für alle Kommunikationskanäle endlich Wirklichkeit?

Bibliografische Information der deutschen Nationalbibliothek

Die Deutsche Nationalbibliothek verzeichnet diese Publikation in der deutschen Nationalbibliografie; detaillierte bibliografische Daten sind im Internet über http://dnb.d-nb.de abrufbar.

ISBN: 978-3-7379-2806-9

Inhalt

Branchenreport TRANSPORT & LOGISTIK
Ausgabe 2/2011

GENIOS BranchenWissen Nr. 11 vom 28.11.2011

Branchenreport TRANSPORT & LOGISTIK Ausgabe 2/2011

Robert Reuter

Kernthesen

- Mit einem Plus von fünf Prozent wird die deutsche Logistikwirtschaft 2011 wieder einmal stärker wachsen als die Gesamtwirtschaft.
- Die zu den weltweit größten Logistikanbietern zählenden Deutsche Post und Deutsche Bahn haben hervorragende Zahlen für die ersten neun Monate dieses Jahres präsentiert.
- In beiden Unternehmen sind die Logistiksparten dabei, zu den eigentlichen

Ertragsbringern der Konzerne heranzureifen.
- Insgesamt werden in Deutschland 2011 sechs Prozent mehr Frachten bewegt als 2010. Den größten Zuwachs im Binnenverkehr erzielt die Schiene.

Beitrag

Der deutsche Logistikmarkt

Die gute Konjunktur in Deutschland verschafft der deutschen Logistikwirtschaft Wachstumszahlen wie vor der Krise von 2008. In diesem Jahr wird der Markt für Logistikdienstleistungen voraussichtlich um fünf Prozent auf 220 Milliarden Euro wachsen. Zeitweise war sogar davon ausgegangen worden, dass der Markt um sieben Prozent zulegen wird, doch schlägt sich auch hier die langsam abkühlende Konjunktur nieder. Auch die Zahlen für 2010 stehen jetzt fest. Demnach hat die deutsche Logistikwirtschaft im vorigen Jahr um ebenfalls fünf Prozent auf ein Marktvolumen von 210 Milliarden zugelegt. Damit wachsen die deutschen Transport- und Logistikunternehmen wie vor der Krise überproportional zur gesamtwirtschaftlichen Entwicklung. 2009 waren die Logistikumsätze um

acht Prozent gesunken. Mit dem anschließend einsetzenden Wachstum von jeweils fünf Prozent in zwei Jahren haben die Logistiker den damaligen Einbruch so gut wie ausgeglichen. Für das kommende Jahr erwartet die Branche indessen eine deutliche Verlangsamung des Wachstums. Ausgehend von der Annahme, dass die europäische Staatsschuldenkrise die Konjunktur weiter in Mitleidenschaft zieht, rechnen auch die Logistiker mit Wachstumseinbrüchen. Derzeit glauben die Experten, dass die Branche 2012 nur wenig stärker wachsen wird als die Gesamtwirtschaft. Dies wäre dann ein Wachstum von zwei bis drei Prozent. (1), (2), (3)

Europäischer Logistikmarkt

Der deutsche Logistikmarkt ist der größte Europas. Dies hat sich auch während der Wirtschaftskrise seit 2008 nicht geändert. Den Umsätzen in Höhe von rund 220 Milliarden Euro kann der zweitplatzierte Markt Frankreichs mit 120 Milliarden Euro nicht das Wasser reichen. Mit weiten Abständen folgen Großbritannien (92,3 Milliarden Euro) und Italien (89,1 Milliarden Euro). Knapp 900 Milliarden Euro beträgt das Gesamtvolumen des europäischen Logistikmarkts, der hinsichtlich der transportierten Frachten noch immer hinter dem letzten Rekordjahr 2008 hinterherhinkt. So wurden 2010 in den 27 EU-Staaten

18,9 Milliarden Tonnen Fracht bewegt. 2008 waren es noch 2,3 Milliarden Tonnen mehr gewesen. Ähnlich dynamisch wie der deutsche Markt entwickelt sich das Logistikgeschäft in Frankreich, Skandinavien und in Osteuropa. Schwach zeigt sich die Branche in Spanien, Großbritannien, Irland und Portugal. (4), (5)

Unternehmen im Markt

Die Top-5-Unternehmen in Deutschland sind die Deutsche Post DHL, Deutsche Bahn Mobility Logistics, Kühne & Nagel, Dachser und Rhenus. Derzeit sieht es so aus, dass die Deutsche Post ihre führende Stellung ausbauen wird. Im dritten Quartal 2011 hat der Konzern den operativen Gewinn kräftig gesteigert und die Prognose zum zweiten Mal in diesem Jahr angehoben. Für das erste Halbjahr 2011 präsentierte die **Deutsche Post DHL** ein Umsatzplus um 3,5 Prozent auf 25,7 Milliarden Euro. Hiermit wird deutlich, dass das Logistikgeschäft innerhalb des Postkonzerns zum eigentlichen Umsatzbringer heranreift. Der Konzern konzentriert sich darum immer stärker auf das profitablere Geschäft mit internationalen Sendungen und zieht sich aus unprofitablen nationalen Expressgeschäften in vielen Ländern zurück. So hat die Post das inländische Expressgeschäft in den USA, in Großbritannien, Frankreich, China, Kanada und Australien

zurückgefahren oder sogar aufgegeben. Zugelegt hat auch das Speditionsgeschäft der Deutschen Post DHL. DHL Global Forwarding / Freight erreichte im ersten Halbjahr ein Umsatzplus von 8,8 Prozent auf 7,3 Milliarden Euro. Davon entfielen 5,4 Milliarden Euro (plus 7,8 Prozent) auf die Sparte Global Forwarding. Luft- und Seefracht verzeichneten ebenfalls solide Zuwächse. Der Umsatz im Landverkehr (Freight) legte um 12,2 Prozent auf zwei Milliarden Euro zu. Maßgeblich dazu beigetragen haben die Geschäfte in Deutschland, in den skandinavischen und in den baltischen Ländern. (6), (7)

Das beste Halbjahr ihrer Geschichte hat nach Worten des Vorstandsvorsitzenden Rüdiger Grube die Deutsche Bahn 2011 hingelegt. Der Konzern verbuchte Einnahmen in Höhe von 18,9 Milliarden Euro, was gegenüber dem Vorjahreszeitraum ein Plus um 17 Prozent bedeutet. Wachstumstreiber war auch hier in erster Linie das Transport- und Logistikgeschäft. 7,4 Milliarden Euro Umsatz steuerte **DB Schenker Logistics** zum Konzernergebnis bei. Mit einem Plus von 661 Millionen Euro entfiel die höchste Umsatzsteigerung auf das Geschäftsfeld Logistik. Die Ergebnisverbesserung im Logistikgeschäft betrug 60 Millionen Euro oder 54, 5 Prozent auf 170 Millionen Euro. Bis 2015 soll der Umsatz der gesamten DB-Logistiksparte um dreißig

Prozent wachsen. Der Gewinn soll sich glatt verdoppeln. (8), (9), (10), (11)

Dass der Logistikmarkt in Deutschland und Europa trotz der hervorragenden Zahlen der deutschen Marktführer kein Selbstläufer, zeigt das Schweizer Logistikunternehmen **Kühne + Nagel**. Das Unternehmen präsentierte kürzlich enttäuschende Zahlen für das dritte Quartal 2011. Demnach sank der Umsatz in diesen drei Monaten um fast zehn Prozent. Das operative Ergebnis nahm 17,8 Prozent auf 176 Millionen Schweizer Franken ab. Der Rückgang ist nach Aussage der Unternehmensleitung eine Folge des starken Schweizer Frankens, durch den die Transporte verteuert würden. (12)

Zunehmend in den Strudel der Konjunkturabkühlung gerät die Luftfrachtsparte der Lufthansa, **LH Cargo**. Das Unternehmen beförderte im September 5,1 Prozent weniger Fracht als im Vorjahresmonat. Die Sparte leidet derzeit insbesondere unter Rückgängen im asiatisch-pazifischen Raum. Gute Zahlen konnte das Unternehmen jedoch für das erste Halbjahr präsentieren. Zwischen Januar und Juni 2011 verzeichnete LH Cargo 12,4 Prozent mehr Fracht- und Postsendungen. Schon im Juli kündigte sich allerdings an, dass die Luftfracht nun kleinere Brötchen backen muss. Das Wachstum gegenüber dem Vorjahresmonat betrug nur noch 0,2 Prozent.

Auch die deutschen Flughäfen haben im ersten

Halbjahr beim Umschlag von Luftfrachtsendungen zugelegt. Das Plus betrug hier knapp elf Prozent. Die Entwicklung ab dem Sommer verlief analog zu den schwächelnden Wachstumszahlen der Frachtflieger. So konnte der Frankfurter Flughafen im Juli gleichfalls ein nur mageres Plus von 0,2 Prozent erzielen. Die Zeichen für die deutschen Luftfrachtunternehmen stehen daher zurzeit auf Verlangsamung oder sogar Rückgang. (17)

Die Teilsparten des Transportwesens

Straßengüterverkehr

2011 wird für den Güterverkehr insgesamt ein gutes Jahr werden. Schätzungen zufolge wird der Gütertransport um sechs Prozent und damit deutlich stärker als die Gesamtwirtschaft zulegen. Für 2012 rechnen die Experten beim Transportaufkommen jedoch mit einer deutlichen Verlangsamung des Wachstums. Immerhin soll das Wachstum nächstes Jahr aber noch 3,7 Prozent betragen. Manche Experten halten diese Prognose jedoch für zu optimistisch, da die Folgen der europäischen Staatsschuldenkrise für die Logistik noch nicht abgesehen werden könnten. Die vom Straßengüterverkehr bewegte Gütermenge wird 2011

um 3,2 Prozent zulegen. Bei 5,5 Prozent liegt das Wachstum der Transportleistung, in die die Wegstrecke mit eingerechnet ist. Ihren Anteil an den Transportwegen werden die LKW 2011 leicht ausbauen. Knapp drei Viertel der Transportleistung werden in Deutschland von der Straße bewältigt. [Abb. 1]

Der Bundesverband Güterverkehr, Logistik und Entsorgung (BGL) weist allerdings darauf hin, dass der Anteil der von deutschen Speditionen übernommenen Transporte an der Gesamttransportleistung stetig sinke. So sei der Marktanteil deutscher LKW von 65,6 Prozent 2009 über 64,4 Prozent 2010 auf 63,1 Prozent in den ersten sieben Monaten dieses Jahres zurückgegangen. Profitieren würden osteuropäische Speditionen. Während deutsche Unternehmen ihre mautpflichtigen Kilometer zwischen Januar und Juli 2011 nur um 3,1 Prozent gesteigert hätten, seien es bei den osteuropäischen Speditionen 11,8 Prozent gewesen. Die gute Konjunktur in Deutschland käme damit nicht den einheimischen, sondern den Anbietern aus den jungen EU-Staaten zugute. (2), (13), (15), [Abb. 2]

Schienengüterverkehr

Deutlich stärker als der Straßengüterverkehr hat der Transport auf der Schiene im ersten Halbjahr 2011 zugelegt. Hier stieg die Verkehrsleistung bis Juni 2011

um 8,5 Prozent und damit auf 56,9 Milliarden Tonnenkilometer. Mit einem Plus von 9,4 Prozent legten die Binnenverkehre stärker zu legten als die internationalen Transporte, die nur um 5,5 Prozent wuchsen. Für das Gesamtjahr sind die Prognosen nicht ganz so gut, wie es die ersten sechs Monate versprachen. Experten zufolge wird der Schienengüterverkehr unter dem Strich ein Mehraufkommen von drei Prozent und eine Transportleistung von plus fünf Prozent erreichen. (10), (13), (14), (15)

Seeschifffahrt

Die deutschen Seeschiffreedereien werden in diesem Jahr noch nicht von der sich abkühlenden Konjunktur betroffen sein. Für 2011 rechnen Experten mit einer Transportsteigerung zwischen acht und elf Prozent. In gleicher Höhe bewegt sich der Umschlagszuwachs am größten deutschen Seehafen in Hamburg. An der Elbe wurden mit 99 Millionen Tonnen in den ersten neun Monaten elf Prozent mehr Seegüter umgeschlagen als im Vorjahreszeitraum. Der Containerumschlag stieg sogar um 15,3 Prozent. (16)

Binnenschifffahrt

Die Binnenschifffahrt hat 2010 von den anziehenden Kohletransporten profitiert. In diesem Jahr werden die Kohletransporte jedoch um zwei Prozent

zurückgehen, was die Binnenschiffer empfindlich trifft. Die Transportumsätze bei chemischen Erzeugnissen, Stein und Erde wachsen ebenfalls langsamer als im Vorjahr. Bis Mai 2011 lag die transportierte Fracht sogar um fast zehn Prozent unter der des Vorjahreszeitraums. Dennoch rechnen Experten damit, dass die Binnenschifffahrt in diesem Jahr ein Wachstum von zwei Prozent erzielen wird. (13), (15)

Luftfracht

Die sich abkühlende Weltkonjunktur bekommen derzeit insbesondere die Frühindikatoren der Transportbranche zu spüren, die Cargo-Flieger. Überall auf der Welt hat sich das Transportgeschäft in der Luft deutlich verlangsamt. Der internationale Lufttransportverband IATA meldete für das erste Halbjahr 2011 nur noch ein Plus von 1,2 Prozent bei den Frachttonnenkilometern. Im Juni dieses Jahres nahm die Transportleistung schon um drei Prozent ab. Besonders stark fällt der Rückgang im asiatisch-pazifischen Raum aus, der eigentlich als die Wachstumsregion schlechthin gilt. Hier brach das Geschäft um 5,8 Prozent ein, nachdem es im Mai um 9,7 Prozent bergab gegangen war. Gegenüber dem Wachstumstempo 2010 muss die Luftfracht damit erhebliche Rückgänge verbuchen, denn 2010 erzielte die Branche ein Transportplus von satten 21,8 Prozent gegenüber dem Vorjahr. (15), (17)

Trends

Nachhaltigkeit in der Logistik

Rund ein Fünftel der CO²-Emissionen in der Europäischen Union werden durch die Logistik verursacht. Immer intensiver wird darum nach Transportkonzepten gesucht, die umweltverträglich und damit nachhaltig funktionieren. Zusammengefasst werden alle diesbezüglichen Maßnahmen unter dem Begriff Green Logistics. In Dortmund beispielsweise untersucht der Effizienz-Cluster RheinRuhr logistische Prozesse inklusive Transport, Immobilie und Intralogistik hinsichtlich ihrer Nachhaltigkeits- und Energieeffizienzpotentiale. In der Intralogistik zielen die Untersuchungen darauf, Leerlaufverbräuche zu vermeiden. So soll die Fördertechnik ein Einsparungspotenzial von mehr als 30 Prozent aufweisen. Trotz dieser Ansätze verläuft die Einführung grüner Lieferketten jedoch immer noch sehr schleppend. Erst 50 Prozent der 150 größten Logistikdienstleister beziehen den Umweltaspekt in ihre strategischen Planungen ein. (18)

Zahlen & Fakten

Abbildung 1:

Straße führt mit weitem Abstand

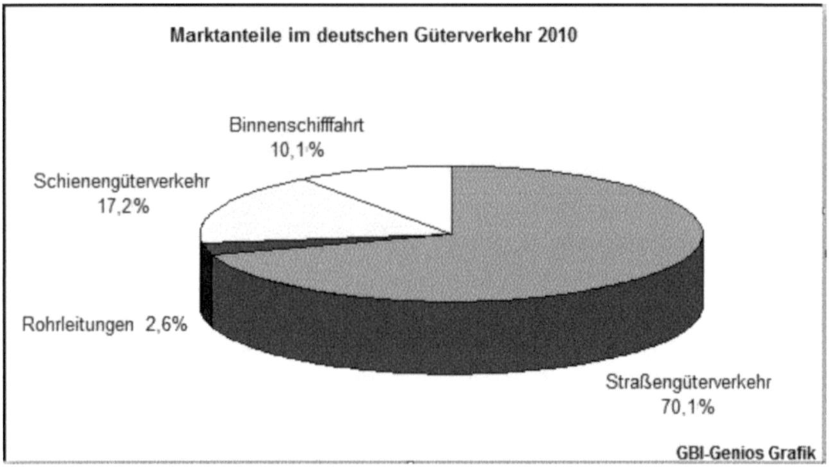

Quelle: Allianz pro Schiene auf Basis von Destatis 2011Entnommen aus: www.allianz-pro-schiene.de(19)

Abbildung 2: Starke Konkurrenz aus Osteuropa

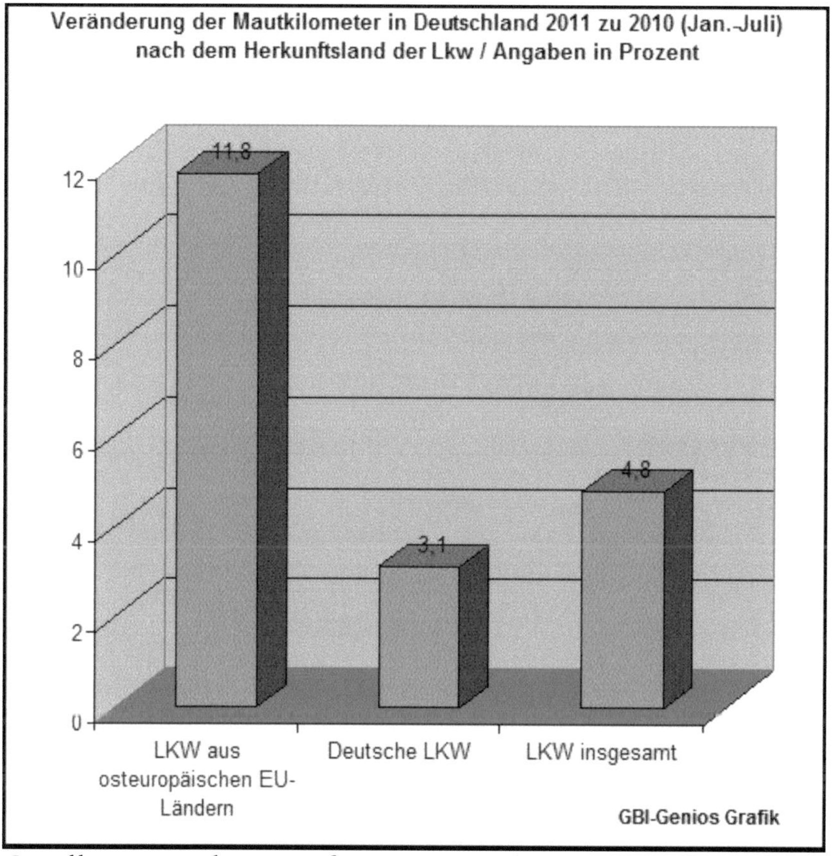

Quellen: Bundesamt für Güterverkehr, Köln / Berechnungen des BGLEntnommen aus: www.bgl-ev.de(20)

Weiterführende Literatur

(1) Konsumgüter bieten Potenziale
aus EURO, 16.11.2011, Nr. 12, S. 110

(2) Logistikbranche ist solide aufgestellt
aus DVZ, Nr. 100 vom 20.08.2011

(3) Logistiker erwarten Rekordjahr
aus Lebensmittel Zeitung 42 vom 21.10.2011 Seite 049

(4) Logistikmarkt Europa legt zu
aus DVZ, Nr. 125 vom 18.10.2011

(5) Analysten senken den Daumen für 2012
aus DVZ, Nr. 112 vom 17.09.2011

(6) Mit weitem Vorsprung ist die Deutsche Post DHL im deutschen Onlinehandel der am häufigsten angebotene Versanddienstleister.
aus KEP-Nachrichten Nr. 40 vom 07. Oktober 2011

(7) DHL treibt die Post voran
aus DVZ, Nr. 93 vom 04.08.2011

(8) DB Schenker Logistics will Luftfracht ausbauen
aus Verkehrs Rundschau, Heft 37/2011, S. 30

(9) Schenker will stärker als der Markt wachsen
aus DVZ, Nr. 111 vom 15.09.2011

(10) DB profitiert von stärkeren Handelsströmen
aus DVZ, Nr. 90 vom 28.07.2011

(11) Transport und Logistik beflügeln DB-Ergebnis
aus DVZ, Nr. 91 vom 30.07.2011

(12) Kühne + Nagel zeigt der Logistikbranche den Weg
aus Finanz und Wirtschaft vom 19.10.2011, Seite 19

(13) Deutschland: Wachstum im Güterverkehr lässt nach
aus DVZ, Nr. 119-120 vom 06.10.2011

(14) Windräder treiben Logistik an
aus LOGISTIK HEUTE, Heft 10/2011, S. 6

(15) Vorkrisenniveau ist wieder in Sichtweite
aus DVZ, Nr. 104 vom 30.08.2011

(16) Vom Weltmarkt abgekoppelt
aus DVZ, Nr. 114 vom 22.09.2011

(17) Wachstumsbranche gerät ins Trudeln
aus DVZ, Nr. 132 vom 03.11.2011

(18) Nachhaltigkeit in der Transportkette prägt die Logistik der Zukunft
aus VDI NR. 43 VOM 28.10.2011 SEITE 21

(19) Die Bedeutung des Schienengüterverkehrs für Deutschland
aus VDI NR. 43 VOM 28.10.2011 SEITE 21

(20) Deutsches Transportlogistikgewerbe profitiert unterproportional vom Wirtschaftsaufschwung.
aus VDI NR. 43 VOM 28.10.2011 SEITE 21

Impressum

Branchenreport TRANSPORT & LOGISTIK Ausgabe 2/2011

Bibliografische Information der deutschen Nationalbibliothek

Die Deutsche Nationalbibliothek verzeichnet diese Publikation in der deutschen Nationalbibliografie; detaillierte bibliografische Daten sind im Internet über http://dnb.d-nb.de abrufbar.

ISBN: 978-3-7379-1946-3

oder ähnliche Einrichtungen und die Einspeicherung und Verarbeitung in elektronischen Systemen.

Inhalt

Branchenreport MEDIEN & VERLAGE Ausgabe 1/2014

GENIOS BranchenWissen Nr. 05 vom 31.05.2014

Branchenreport MEDIEN & VERLAGE Ausgabe 1/2014

Thomas Trares

Kernthesen

- Die deutschen Zeitungsverlage befinden sich weiter in der Krise.
- Auch die Qualitätszeitung "FAZ" hat im vergangenen Jahr ihre Verluste ausgeweitet.
- Um der Krise zu entkommen, setzen die meisten Verlage auf digitale Inhalte.
- Der Bezahlsender Sky Deutschland hat 2013 erstmals einen operativen Gewinn erzielt.
- In den USA ist der Niedergang der Zeitungen möglicherweise gestoppt.

Beitrag

Die Zeitungen und Zeitschriften in Deutschland

Die deutschen Zeitungsverlage befinden sich in der Dauerkrise: Seit Jahren sinkt die Auflage, die Werbewirtschaft wandert ins Netz ab. Die Gesamtauflage der Zeitungen betrug im vergangenen Jahr 22,23 Millionen Exemplare pro Erscheinungstag, 2008 waren es mehr als 25 Millionen. Besonders stark fallen die Rückgänge bei den Tageszeitungen aus. Der Umsatz auf dem Zeitungsmarkt lag zuletzt bei 8,23 Milliarden Euro. 2008 waren es noch 9,1 Milliarden Euro. Die deutschen Zeitschriftenverlage erzielten 2013 einen Umsatz von fast 15 Milliarden Euro, auf den deutschen Markt entfielen davon 7,5 Milliarden Euro. Für 2014 rechnen die Zeitschriftenverleger mit stabilen Erlösen. Die Zeitschriftenvielfalt ist mit fast 1 600 Titeln so hoch wie noch nie, dennoch geht auch bei den Zeitschriften die Gesamtauflage zurück. (1), (2), [Abb. 1]

Die Entwicklung ausgewählter Verlage

Bei Bertelsmann, Europas größtem Medienkonzern, ist der Umsatz 2013 um 1,8 Prozent auf 16,4

Milliarden Euro gestiegen. Das Konzernergebnis nahm um 42 Prozent auf 870 Millionen Euro zu. Enttäuschend verlief das Stammgeschäft. Der Fernsehsender RTL, die Verlagstochter Gruner + Jahr wie auch der Druckbereich Be Printers mussten Umsatzeinbußen hinnehmen. Dass es dennoch einen im Konzern für einen Zuwachs reichte, lag an Zukäufen sowie dem Zusammenschluss der Buchsparte Random House mit der Pearson-Tochter Penguin zu Penguin Random House. Zum Jahresauftakt hat Bertelsmann den Online-Dienstleister Netrada eingekauft. Die Erlöse stiegen dadurch im ersten Quartal um 8,5 Prozent auf 3,9 Milliarden Euro. (3), (4)

Axel Springer ("Bild", "Welt"), einst Deutschlands größter Zeitungsverlag, wandelt sich immer mehr zu einem digitalen Medienunternehmen. Im ersten Quartal 2014 entfiel erstmals mehr als die Hälfte des Umsatzes auf das digitale Geschäft. Im vergangenen Jahr hat der Konzernumbau jedoch die Bilanz belastet. Das Konzernergebnis vor Zinsen, Steuern und Abschreibungen (Ebitda) der fortgeführten Aktivitäten sank um 8,9 Prozent auf 454,3 Millionen Euro. Der Umsatz nahm um 2,3 Prozent auf 2,8 Milliarden Euro zu. Springer hatte im vergangenen Jahr für 920 Millionen Euro einen Großteil seines Printgeschäfts verkauft. Eingekauft wurde der Fernsehsender N24. Die Kasse ist gut gefüllt,

Spielraum für weitere Akquisitionen vorhanden. (5), (6)

Auch die Verlagsgruppe Georg von Holtzbrinck hat sich weitgehend aus dem Zeitungsgeschäft verabschiedet. Stattdessen richtet Verleger Stefan von Holtzbrinck das Unternehmen auf digitale Medien und Dienstleistungen, Buchverlage - darunter Fischer, Rowohlt und Macmillan - sowie auf Bildung und Wissen aus. Im Zeitungsgeschäft hält Holtzbrinck nach wie vor seine 50-prozentige Beteiligung an der Wochenzeitung "Die Zeit". Früher gehörten noch Titel wie "Handelsblatt", "Wirtschaftswoche" und "Tagesspiegel" sowie Regionalzeitungen wie die "Main-Post" und die "Saarbrücker Zeitung" zu dem Verlag. Zuletzt wurde auch noch die Beteiligung am "Südkurier" verkauft. Die Neuausrichtung hat den Verlag Umsatz gekostet. (7)

Die "Frankfurter Allgemeine Zeitung" ("FAZ") hat 2013 einen Verlust im hohen einstelligen Millionen-Bereich geschrieben. Schon 2012 gab es ein Minus von 4,3 Millionen Euro. Der Umsatz, der 2012 bei 260 Millionen Euro lag, dürfte 2013 ebenfalls zurückgegangen sein. Die FAZ will nun den Negativtrend stoppen. So hat man die Seitenzahl der "FAZ" reduziert und Personal abgebaut. Zurückgefahren wird zudem die FAZ Executive School, ein Weiterbildungsangebot für

Führungskräfte. Eine gemeinsame Anzeigenvermarktung mit der "Süddeutschen Zeitung", der "Zeit" und dem "Handelsblatt" soll das Anzeigengeschäft beleben. (8)

Die privaten Fernsehsender

Die RTL Group ist Europas größter Fernseh- und Radiokonzern und zugleich der Umsatzbringer im Bertelsmann-Konzern. Im vergangenen Jahr bekam RTL die Schwäche vor allem des französischen Marktes zu spüren. Der Umsatz sank um 1,8 Prozent auf 5,9 Milliarden Euro. Sondereffekte wie der Verkauf von Investmentfondsanteilen sorgten allerdings dafür, dass der Nettogewinn um 37,4 Prozent auf 950 Millionen Euro zulegte. RTL will sich vom Werbefernsehen unabhängiger machen. Deswegen hat man im vergangenen Jahr mit BroadbandTV einen Online-Video-Anbieter zugekauft. Zur RTL Gruppe gehören in Deutschland die Sender RTL, Vox, RTL II, Super RTL, RTL Nitro und n-tv. (9)

Die Sendergruppe ProSiebenSat.1, zu der Kabel 1 und 9live gehören, hat zum Jahresauftakt den Umsatz um 3,3 Prozent auf 581 Millionen Euro und den operativen Gewinn um fast zehn Prozent auf 140 Millionen Euro gesteigert. Der Sender profitierte dabei vom Ausbau der Digitalsparte mit Videos,

Spielen und Online-Handel. Konzernchef Thomas Ebeling will mit dem Online- und TV-Produktionsgeschäft stärker im Ausland expandieren. Deshalb hat man nun den Spielhersteller Aearia Games Europe zugekauft. 2013 erzielte ProSiebenSat.1 einen Umsatz von 2,6 Milliarden Euro und einen operativen Gewinn von fast 800 Millionen Euro. Beides sind neue Rekordwerte (9)

Das Bezahlfernsehen hatte in Deutschland lange Jahre einen schweren Stand. Nun bahnt sich eine Trendwende an. 2013 erzielte Sky Deutschland erstmals einen operativen Jahresgewinn. Wann der Bezahlsender unter dem Strich Geld verdienen wird, ist dennoch weiter unklar. 2013 gab es einen Nettoverlust von 133 Millionen Euro, nach 195 Millionen Euro 2012. Der australoamerikanische Medienunternehmer Rupert Murdoch will seine Bezahlsender in Europa, zu denen auch Sky Deutschland gehört, enger miteinander verzahnen. Deswegen könnte der britische Anbieter BSkyB bald die Kontrolle über Sky Deutschland übernehmen. (11), (12)

Die öffentlich-rechtlichen Sender

Charakteristisch für Deutschland ist die starke Stellung des Gebühren finanzierten öffentlich-rechtlichen Rundfunksystems. Dieses umfasst die

föderal gegliederte Arbeitsgemeinschaft der Rundfunkanstalten der Bundesrepublik Deutschland (ARD) sowie das zentral organisierte Zweite Deutsche Fernsehen (ZDF). Während die ARD das Erste Fernsehprogramm, die Dritten Programme sowie zahlreiche Hörfunkangebote betreibt, ist das ZDF ausschließlich im Fernsehen engagiert. Die Finanzierung erfolgt seit Anfang 2013 über einen Rundfunkbeitrag, der geräteunabhängig pro Haushalt und in Betriebsstätten erhoben wird. Durch die Umstellung sind die Einnahmen im vergangenen Jahr auf knapp 7,8 Milliarden Euro gestiegen. Vor der Umstellung lagen sie bei rund 7,5 Milliarden Euro im Jahr. Zudem hat der Bayerische Verfassungsgerichtshof Klagen abgewiesen, wonach die neue Abgabe Grundrechte verletze und eine verdeckte Steuer sei. Geklagt hatte unter anderem die Drogeriemarktkette Rossmann. (13)

Die Filmbranche

Bei den deutschen Kinos sind 2013 die Einnahmen leicht geschrumpft, bewegen sich aber weiter um die Marke von einer Milliarde Euro. Diese Schallmauer wurde 2012 erstmals durchbrochen. Knapp 130 Millionen Besucher kamen in die Lichtspielhäuser, das waren vier Prozent weniger als 2012. Die Branche sprach von einem "zufriedenstellenden, aber keinem

guten Kinojahr". Das Kinogeschäft ist für die Filmindustrie richtungsweisend. Denn mehr als drei Viertel ihrer Umsätze macht die Branche mit der Weiterverwertung von Filmen, etwa dem Verkauf und Verleih von DVDs und Bluray-Discs oder Fernsehrechten. (14), [Abb. 2]

Der in Deutschland führende Filmproduzent und -verleiher Constantin Medien ist verhalten ins Jahr 2014 gestartet. Im ersten Quartal schrumpfte der Umsatz um 4,2 Prozent auf 103,7 Millionen Euro. Grund ist die Entwicklung im Bereich Sport- und Event-Marketing, in dem die Erlöse um über 40 Prozent auf 10,1 Millionen Euro einbrachen. Constantin begründet das Minus mit geänderten Geschäftsbeziehungen zu seinem wichtigsten Kunden, dem europäischen Fußballverband UEFA. Alle anderen Segmente verzeichneten ein Umsatzwachstum. Für das Gesamtjahr rechnet Vorstandschef Bernhard Burgener unverändert mit einem positiven Konzernergebnis und einem Umsatz von 440 Millionen bis 480 Millionen Euro. (15)

Medien und Zeitungen international

Zwar leiden die Zeitungsverleger weltweit unter Auflagenrückgängen, dennoch lesen weltweit 2,5

Milliarden Menschen Zeitung, über 600 Millionen davon digital. Zuwächse im Zeitungsgeschäft gibt es nach wie vor in Asien und Lateinamerika. Rückläufig ist der Trend in Europa. In den USA, wo die Auflage pro Erscheinungstag in den vergangenen zehn Jahren von 55 Millionen auf 40 Millionen abgesackt ist, ist der Verfall vorerst gestoppt. Im vergangenen Jahr gab es erstmals wieder ein Umsatzplus von fast vier Prozent. (17), (19)

Der amerikanische ist der dominierende Medienmarkt weltweit. Die größten fünf Medienkonzerne kommen allesamt aus den USA: Google, der Pay-TV-Anbieter DirecTV, Walt Disney, 21st Century Fox und der Kabelnetzbetreiber Comcast. Profitabelster Medienkonzern der USA ist Liberty Media, der Beteiligungen an zahlreichen TV-, Print- und Internet-Unternehmen hält. Liberty Media erzielte 2013 einen Reingewinn von 8,99 Milliarden Dollar. Danach kommen 21st Century Fox mit 7,3 Milliarden Dollar und Walt Disney mit 6,6 Milliarden Dollar. (16), (18)

Die gestiegene Bedeutung des chinesischen Medienmarktes unterstreicht die Tatsache, dass sich im vergangenen Jahr unter den weltweit 30 größten Medienkonzernen erstmals zwei aus der Volksrepublik befanden. Dies waren das Staatsfernsehen CCTV mit einem Umsatz von umgerechnet 4,3 Milliarden Euro und der

Suchmaschinenbetreiber Baidu mit 3,6 Milliarden Euro. (16)

In Europa steckt die Medienbranche weiter in der Krise. Wurden 2008 auf dem Zeitungsmarkt noch 36 Milliarden Euro umgesetzt, so sind es heute etwa 30 Milliarden. Die Auflage sank in diesem Zeitraum von knapp 140 Millionen Exemplaren pro Erscheinungstag auf etwa 100 Millionen. Die durchschnittliche Auflage ist mit knapp 400 Stück pro 1 000 Leser in Norwegen am größten, gefolgt von Finnland, der Schweiz, Österreich und Schweden. Schlusslichter sind die Ukraine, Portugal und Rumänien. Größte Medienkonzerne sind Bertelsmann aus Deutschland und British Sky Broadcasting (BSkyB) aus Großbritannien. (16), (19)

Trends

Digitalisierung verändert die Fernsehlandschaft

Die Fernsehgewohnheiten verändern sich. Mobile Endgeräte und Video-on-Demand-Angebote sind auf dem Vormarsch. Auch gibt es einen Trend zum "Second Screen". Die Digitalisierung wirkt sich aber nicht nur auf die technischen Möglichkeiten aus,

sondern auch auf die Geschäftsmodelle der Medienunternehmen. Die neuen Angebote werden in den kommenden Jahren den Druck auf traditionelle Sendergruppen wie ProSiebenSat.1 und RTL erhöhen. Zu dieser Einschätzung kommt die DZ Bank in einer Analyse. Beim Bezahlfernsehen sieht das Institut dagegen noch gute Ertragspotenziale. (10)

Erstmals mehr digitale Zukäufe und Übernahmen

Die Zahl der Zusammenschlüsse und Übernahmen deutscher Verlage ist 2013 um 9,3 Prozent auf 254 gestiegen. Dies war der dritte Zuwachs in Folge. Das Transaktionsvolumen lag wie schon 2012 bei 6,2 Milliarden Euro. Dies geht aus dem Transaktionsmonitor Verlagswesen der Unternehmensberatung Bartholomäus & Cie hervor. Allein drei Transaktionen waren für die Hälfte des Aufkommens verantwortlich: Der Rückzug von Holtzbrinck Ventures aus dem Onlineshop Zalando, die Übernahme der Fachmediengruppe Springer Science + Business Media durch BC Partners sowie der Verkauf der regionalen Tageszeitungen und der Programm- und Frauenzeitschriften Axel Springers an die Funke Mediengruppe. Der Anteil der Transaktionen aus dem Printbereich rutschte erstmals unter die Marke von 50 Prozent.

Entsprechend stieg der Anteil der Ausgaben für digitale Medienformate und Services, für Events sowie für Dienstleistungen. (20), [Abb. 3]

Zahlen & Fakten

Abbildung 1: Deutscher Zeitungsmarkt nach Auflage und Umsatz

Jahr*	Auflage in Mill.	Umsatz in Mrd. Euro
2008	25,9	9,1
2009	25,3	8,46
2010	24,8	8,52
2011	23,8	8,51
2012	22,8	8,23
2013	22,2	k.A.

Abbildung 2: Einnahmen der deutschen Kinos nach verkaufter Tickets

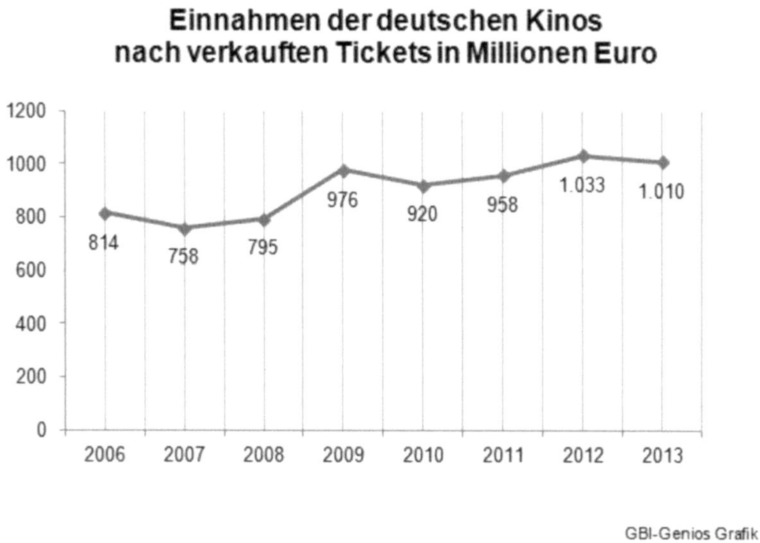

Quelle: Filmförderungsanstalt (FFA); eigene Recherchen Entnommen aus: Frankfurter Allgemeine Zeitung, 31.05.2013, Nr. 123, S. 22 (21)

Abbildung 3: Größte Transaktionen im Verlagswesen 2013 nach Umsatz des betroffenen Unternehmens

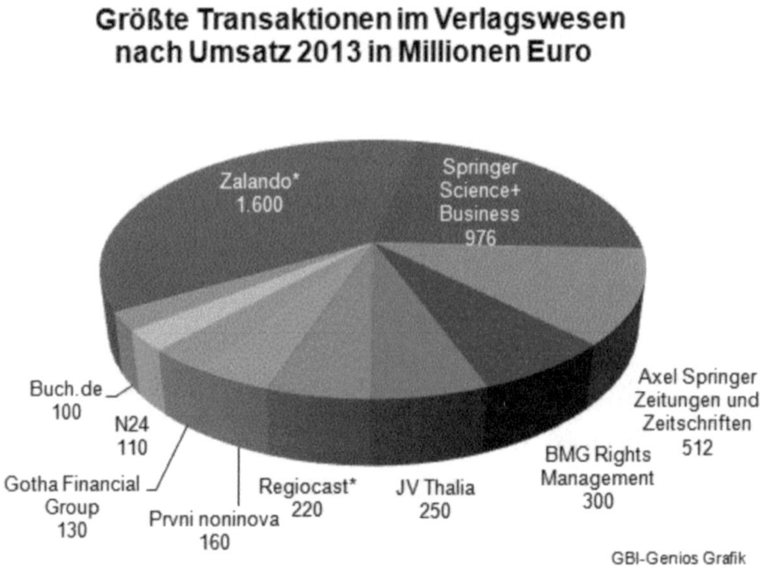

* Schätzung Quelle: Transaktionsmonitor Verlagswesen, Bartholomäus & Cie Entnommen aus: Horizont 05 vom 30.01.2014 Seite 016 (20)

Weiterführende Literatur

(1) Zeitungen: Viele Leser, weniger Erlöse
aus NWZ - Neue Württembergische Zeitung vom 04.07.2013, S. 13

(2) Erst die Rekorde, dann die Politik
aus Horizont 15 vom 10.04.2014 Seite 008

(3) Bertelsmann wächst mit Zukäufen

aus Neue Westfälische vom 09.05.2014, S. 6

(4) Bilanz 2013: Bertelsmann erhöht Investitionen und gründet Bildungsfonds
aus horizont.net vom 26.03.2014

(5) Ergebnis von Axel Springer leidet unter Konzernumbau Döpfner treibt digitale Ausrichtung 2014 voran
aus Börsen-Zeitung, 07.03.2014, Nummer 46, Seite 13

(6) Axel Springer: Digitalerlöse steigen erstmals auf über 50 Prozent
aus horizont.net vom 06.05.2014

(7) Holtzbrinck wird immer digitaler
aus Stuttgarter Nachrichten, 08.01.2014, S. 11

(8) FAZ rutscht noch tiefer in die roten Zahlen
aus Handelsblatt online vom 19.05.2014

(9) Privatfernsehen: RTL hinkt ProSieben hinterher
aus Frankfurt Neue Presse vom 09.05.2014, Seite 2

(10) Pay-TV bietet Anlegern Chancen DZ Bank: Traditionelle Fernsehsender haben das Nachsehen - Sky Deutschland zum Kauf empfohlen
aus Börsen-Zeitung, 12.04.2014, Nummer 72, Seite 18

(11) Sky Deutschland muss noch einen weiten Weg gehen
aus Frankfurter Allgemeine Zeitung, 07.02.2014, Nr. 32, S. 17

(12) Pay-TV: BSkyB erwägt Übernahme von Sky Deutschland
aus Frankfurter Allgemeine Zeitung, 07.02.2014, Nr. 32, S. 17

(13) Die Rundfunkgebühren könnten sogar sinken
aus Aachener Nachrichten vom 20.11.2013, Seite 19

(14) Der deutsche Film punktet im Wettbewerb
aus Stuttgarter Zeitung - Stadtausgabe, 14.02.2014, S. 14

(15) Constantin Medien startet schwächer ins neue Geschäftsjahr
aus horizont.net vom 16.05.2013

(16) Ranking der weltgrößten Medienhäuser: Springer dabei, Bertelsmann verliert
aus horizont.net vom 06.05.2014

(17) Gute Nachrichten
aus Die Zeit vom 30.04.2014, Nr. 19, S. 8

(18) Liberty Media ist profitabelster Medienkonzern der USA
aus Kontakter Online vom 24.03.2014

(19) Europa der Vielfalt - auch am Printmarkt
aus "Medianet" Nr. 1813/2014 vom 23.05.2014 Seite 12

(20) Entwertung von Print
aus Horizont 05 vom 30.01.2014 Seite 016

(21) Stabilität in einem volatilen Geschäft

aus Frankfurter Allgemeine Zeitung, 31.05.2013, Nr. 123, S. 22

Impressum

Branchenreport MEDIEN & VERLAGE Ausgabe 1/2014

Bibliografische Information der deutschen Nationalbibliothek

Die Deutsche Nationalbibliothek verzeichnet diese Publikation in der deutschen Nationalbibliografie; detaillierte bibliografische Daten sind im Internet über http://dnb.d-nb.de abrufbar.

ISBN: 978-3-7379-5668-0

oder ähnliche Einrichtungen und die Einspeicherung und Verarbeitung in elektronischen Systemen.